Éric Leroy

Soccer plus

SPORT-JEUNESSE

COLLECTION DIRIGÉE PAR
RICAARDOE DI DONE

TheoDone Éditeur

Éric Leroy

Illustrations : Guy Bédard

Mise en page : Marie-Andrée Grondin

Il est illégal de reproduire cet ouvrage en totalité ou en partie, sous quelque forme et par quelque procédé que ce soit, sans l'autorisation écrite préalable de l'éditeur, conformément aux dispositions de la Loi sur les droits d'auteur.

ISBN : 978-2-923344-22-5

Dépôt légal – Bibliothèque et Archives nationales du Québec, 2011
Dépôt légal – Bibliothèque et Archives Canada, 2011

Préface

La beauté du soccer réside certainement dans le fait que ce sport peut être d'une simplicité élémentaire ou d'une complexité des plus diaboliques.

En effet, si le ballon rond est accessible à tous du point de vue physique, matériel et financier, il peut parfois donner lieu à des situations aussi complexes qu'une partie d'échec entre maîtres penseurs. Chez les jeunes où le plaisir de jouer domine, c'est le cœur qui mène le bal. Chez les adultes ou en haute compétition, ce sont les stratégies, les tactiques et l'incontournable technique qui prédominent, en fonction des forces et des faiblesses de l'adversaire.

La lecture du présent livre permettra de prendre un peu de recul pour mieux cerner le phénomène « soccer » et reformuler les besoins qu'il comble et les services qu'il rend. Il faut, en effet, tenir compte qu'en quelques années, le soccer est passé du simple statut d'activité estivale à celui de sport annuel, avec la création d'installations spécialisées permanentes qui ont permis d'offrir une palette encore plus grande d'activités de tous niveaux.

C'est en tenant compte de toutes ces considérations que le présent ouvrage a été conçu et nul doute qu'il permettra d'attirer de nouveaux adeptes, qui perçoivent actuellement les vertus de ce sport sans, pour autant, en saisir tous les aspects.

Si l'on dit que le plaisir croît avec l'usage, au soccer plus qu'en toute autre circonstance, il ne faut pas craindre d'en user et même d'en abuser.

C'est aussi dans le but d'améliorer les séances d'entraînement et de les rendre tout aussi productives qu'agréables que le présent livre a été préparé.

Un livre tout simple mais complet, écrit pour des gens qui veulent s'amuser dans un sport facile à comprendre et à encadrer.

Bonne lecture et bonnes saisons de soccer à tous et à toutes.

Francis Millien
Analyste sportif

TABLE DES MATIÈRES

UN SPORT BIEN POPULAIRE

« Le soccer permet aux peuples de briller à la face du monde sans tenir compte de différences de langues, de religions, de cultures ou de richesses. »

– Bernard Werber

Le soccer partout dans le monde

« Moi, je veux jouer au soccer ! » Pourquoi cette phrase magique est-elle répétée inlassablement des millions et des millions de fois dans au-delà de 208 pays affiliés à la FIFA à travers le monde ?

En parcourant notre planète d'est en ouest, du nord au sud, de la France au Brésil, de la Chine au Pérou, partout, on peut découvrir des terrains de soccer. Parfois, ce sont de véritables « billards »; souvent, de simples terrains vagues avec pour buts de fortune de vieux pneus; mais partout, on retrouve le même plaisir, les mêmes joies, la même passion !

D'où vient donc cette passion universelle pour le petit ballon noir et blanc ? Pourquoi 264 millions de joueurs (en 2006) pratiquent-ils ce sport à travers le monde ? Et pourquoi le soccer est-il, dans certains pays, une « véritable religion » ?

FIFA : La Fédération Internationale de Football Association a été fondée en 1904 et est localisée à Zurich, en Suisse. Sa mission est de développer le jeu, toucher le monde et bâtir un meilleur avenir.

✘ C'est beau, un monde qui joue!

Le soccer, un sport pour tous

Au Canada, le soccer est un sport qui recrute chaque année de plus en plus d'adeptes. D'ailleurs, c'est le sport le plus pratiqué par les filles. L'esprit d'équipe, l'engagement, la persévérance, la volonté de gagner, sans jamais oublier le simple plaisir de jouer, font de cette merveilleuse « école de vie » une activité parfaitement adaptée à l'épanouissement des jeunes des deux sexes (aussi bien du point de vue physique que psychologique). Il est important, cependant, de ne jamais comparer le soccer joué par les filles et celui joué par les garçons, chacun ayant ses propres caractéristiques. Dans de nombreux pays, malheureusement, la mentalité doit encore évoluer et beaucoup de préjugés doivent être levés en ce qui a trait au soccer féminin. Heureusement, la situation semble lentement s'améliorer.

Le soccer, peu importe l'âge

Le soccer est un sport accessible à tous. Il n'existe pas de limite d'âge «inférieure» pour un enfant en bonne santé. Cependant, le soccer doit toujours être adapté à l'âge (terrain, ballon, nombre de joueurs, durée) et ne pas être joué dans un cadre structuré avant l'âge de cinq ans. Concernant la limite d'âge «supérieure», il n'en existe pas, mais à partir de la quarantaine, par exemple, une prudence élémentaire s'impose, notamment du point de vue cardiaque. Dans tous les cas, il est toujours possible de trouver un niveau de jeu qui correspond à son potentiel physique.

Le soccer, peu importe la taille

Contrairement à d'autres sports où la «morphologie» (par exemple, la taille au basket-ball ou bien la force physique au football) joue un rôle déterminant, voire d'exclusion, au soccer, il est tout à fait possible d'atteindre un très haut niveau avec une taille ou un poids moyens. Les aptitudes techniques, l'intelligence du jeu et la vitesse permettent de compenser bien des choses!

«Les entraîneurs entraînent au jeu,
les meilleurs entraînent des hommes.» *
— Bum Phillips

*Traduction libre

Le soccer, sport d'intégration

La composition d'une équipe de soccer représente l'image de la société en «miniature» où se rencontrent toutes les catégories de la population : les pauvres et les riches, les blancs et les noirs... C'est un «gang» d'amis qui a un but commun : jouer au soccer, s'engager à fond, essayer de gagner dans le respect des règles. Le soccer de base nécessite peu de moyens : un bout de terrain dénudé, un simple ballon et des amis divisés en deux équipes.

🏃 Un peu d'histoire...

Il est facile de retrouver les premières traces de l'ancêtre du soccer durant l'Antiquité, mais à cette époque, il s'agissait de «jeux de balle au pied» qui servaient principalement à garder une bonne forme physique et ils se pratiquaient en dehors de toute compétition.

Le véritable ancêtre du soccer s'appelle la « soule médiévale » (on dit aussi choule), qui était jouée en France et en Angleterre, au Moyen-Âge. Certains colons essayèrent d'importer ce sport en Amérique du Nord, mais il fut interdit notamment par la ville de Boston, en 1657, car il était extrêmement brutal. La date officielle de la naissance du soccer « moderne » est le 26 octobre 1863, à Londres, en Angleterre. Le premier club qui fut fondé est le *Sheffield Football Club*.

Déjà, le premier championnat professionnel fut organisé durant la saison 1888-1889. L'influence importante de l'Angleterre, à cette époque, a permis d'introduire rapidement le « football » dans de nombreux pays européens (Belgique, Pays-Bas, Suisse, Danemark…) et sur d'autres continents, dont l'Amérique du Sud.

L'*International Football Association Board* (IFAB) est l'instance qui détermine et fait évoluer les règles du soccer. En plus d'approuver les règles du jeu en vigueur, l'IFAB en élabore de nouvelles. En fait, c'est l'organisme gardien des valeurs universelles du soccer.

Aujourd'hui, à travers le monde, il existe plus de 300 000 clubs de soccer, 1 700 000 équipes de soccer et 840 000 arbitres !

Chez nous, au Canada, l'Association canadienne de soccer (ACS) a été fondée en 1912

et la Fédération de soccer du Québec (www.federation-soccer.qc.ca) a été fondée en 1911.

Rapidement, le soccer est devenu le sport le plus populaire au Canada (soit 900 000 joueurs affiliés) dont 200 000 au Québec seulement et rien ne semble arrêter sa fulgurante progression.

« Le soccer, c'est magique ! Ça me rend dynamique.
Vous ne pourrez pas m'attraper, je fonce vers le but. »
— Marie, Laval (Québec), 11 ans

LE BANC DES JOUEURS

*« Il n'y a pas d'endroit dans le monde
où l'homme est plus heureux que dans un stade de soccer. »*
– Albert Camus

Des règles... pour mieux apprécier le jeu

Le soccer est un sport de plus en plus populaire. Et comme pour tout autre jeu d'équipe qui demande de la coopération, il faut bien connaître et comprendre les règles du jeu.

Ces règles, une fois bien acquises, permettent de mieux anticiper le jeu et de développer de meilleures stratégies. Connaître les règles du jeu, c'est déjà un bon point en ta faveur. Penses-y.

L'arbitrage représente une grande école de vie. C'est un excellent moyen d'acquérir ou de développer :

- Le sens des responsabilités
- Une discipline personnelle
- La confiance en soi
- Le sens du leadership
- L'aptitude à prendre des décisions
- La facilité à résoudre des problèmes

Généralités...

« L'officiel est l'athlète qui contrôle le jeu et veille à la sécurité des joueurs et au respect des règles. Il ne permet aucune action déloyale. Il ne doit chercher satisfaction que dans l'effort physique et moral. Il doit être conscient que même s'il a des pouvoirs, il n'a aucun droit sauf celui de bien arbitrer. »

Manuel Sousa
Ancien arbitre international

🏃 Les 17 lois du jeu

Le soccer, dans sa forme officielle (soit à 11 contre 11), suit les mêmes règles partout à travers le monde. Elles portent sur :

- LE TERRAIN
- LE BALLON
- LE NOMBRE DE JOUEURS
- L'ÉQUIPEMENT DES JOUEURS
- L'ARBITRE
- LES ARBITRES ASSISTANTS
- LA DURÉE DU MATCH
- LE COUP D'ENVOI ET REPRISE DU JEU
- BALLON EN JEU ET HORS-JEU

- LE BUT MARQUÉ
- LE HORS-JEU
- LES FAUTES ET INCORRECTIONS
- LES COUPS FRANCS
- LE COUP DE PIED DE RÉPARATION
- LA RENTRÉE EN TOUCHE
- LE COUP DE PIED DE BUT
- LE COUP DE PIED DE COIN

Savais-tu que... ?

Le texte complet des lois du jeu peut être facilement retrouvé à l'adresse suivante :
http://fr.fifa.com/worldfootball/lawsofthegame.html

🏃 Une bonne connaissance de base

Connaître le règlement par cœur et au complet n'est pas le plus important pour un joueur de soccer. C'est là le rôle de l'arbitre. Par contre, un bon joueur doit comprendre toutes les règles de base afin de bien respecter «l'esprit du jeu». Elles sont regroupées sous sept grands thèmes :

- Le terrain et les joueurs
- L'équipement
- L'arbitre et ses assistants
- Le ballon en jeu et le but marqué
- Le hors-jeu
- Les fautes
- Les reprises de jeu

Le terrain et les joueurs

Avant toute chose, un seul mot d'ordre : pas de compromis au sujet de la sécurité !

Le terrain doit être sécuritaire : les buts sont parfaitement fixés au sol et le terrain ne présente ni creux ni obstacles.

Le ballon doit également être sécuritaire : avoir un bon revêtement et être correctement gonflé (ni trop dur, ni trop mou). L'arbitre et les entraîneurs sont responsables d'en vérifier la sécurité.

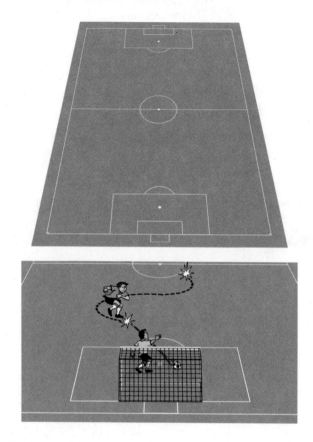

Le ballon, parfaitement sphérique et en cuir, doit peser entre 410 et 450 grammes.

Le nombre réglementaire de joueurs est de onze, mais, au minimum, sept joueurs doivent toujours être présents sur le terrain. Un joueur de remplacement ne peut monter au jeu qu'après avoir reçu l'autorisation de l'arbitre et lorsque le jeu est arrêté.

Il faut bien comprendre également qu'un enfant ne joue pas au soccer de la même façon qu'un adulte et que tout le jeu doit être adapté à ses capacités physiques, techniques et tactiques. Les dimensions du terrain et la grandeur des buts doivent être plus petites, le ballon doit également être plus petit (et plus léger) et la durée du match raccourcie. Au Canada, voici un exemple de la manière dont le soccer peut être adapté en fonction de l'âge des joueurs :

ÂGE	FORMAT DU MATCH	JOUEURS PAR ÉQUIPE	DURÉE DU MATCH	TAILLE DU BALLON*	GRANDEUR DES BUTS	LARGEUR DU TERRAIN	LONGUEUR DU TERRAIN
6-8 ans	4 c. 4	8	2 × 15 min	3 ou 4	1,52 × 2,44 m (5 × 8 pi)	20 à 25 m (65 à 82 pi)	30 à 36 m (98 à 118 pi)
8-11 ans	7 c. 7	12	2 × 25 min	4	1,83 × 4,88 m (6 × 16 pi)	30 à 36 m (98 à 118 pi)	40 à 45 m (131 à 148 pi)
	9 c. 9	16	2 × 30 min	4	1,83 × 5,49 m (6 × 18 pi)	42 à 55 m (138 à 180 pi)	60 à 75 m (197 à 246 pi)
11-15 ans	11 c. 11	16	2 × 35 min	5	2,44 × 7,32 m (8 × 18 pi)	FIFA	FIFA
+ de 15 ans	11 c. 11	16	2 × 45 min	5	2,44 × 7,32 m (8 × 18 pi)	FIFA	FIFA

* Taille 5 (68-70 cm), taille 4 (64-66 cm), taille 3 (60-62 cm)
c. = contre

> « Les performances individuelles, ce n'est pas le plus important.
> On gagne et on perd en équipe. »
> – Zinedine Zidane

L'équipement

L'équipement de base d'un joueur de soccer est relativement simple et peu coûteux : un maillot, un short, des chaussettes, des protège-tibias et des chaussures. Il est important de faire le bon choix concernant le type et la qualité des protège-tibias et des chaussures. Durant les matchs, les protège-tibias sont obligatoires (et très fortement conseillés durant les entraînements).

Les gardiens de but portent généralement des shorts renforcés et des gants.

Il est vraiment déconseillé de porter des objets ou des vêtements qui pourraient être dangereux pour toi ou tes camarades.

L'arbitre et ses assistants

Le rôle de l'arbitre au soccer, et probablement aussi dans d'autres sports, est une tâche difficile qui exige de tous les joueurs, des entraîneurs et des spectateurs, le plus grand respect. Au soccer joué à 11 contre 11, l'arbitre est assisté de deux juges de lignes.

Les principales responsabilités de l'arbitre sont:

- Faire respecter les règles
- Chronométrer la durée du match
- Arrêter le match s'il considère qu'un joueur est sérieusement blessé
- Remettre aux responsables de la ligue un rapport du match

Les principales responsabilités des juges de lignes (à l'aide de leur drapeau) sont:

- Signaler à l'arbitre que le ballon sort du terrain de jeu
- Signaler à l'arbitre qu'un joueur se trouve en position de « hors-jeu »
- Signaler à l'arbitre toutes les infractions qui n'auraient pas été vues par celui-ci

Le ballon en jeu et le but marqué

Le ballon n'est plus en jeu lorsqu'il a entièrement franchi une ligne de but ou une ligne de touche (à terre ou en l'air) ou bien lorsque le jeu est arrêté par l'arbitre.

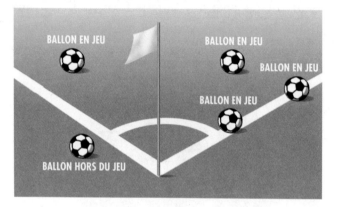

Le but est marqué lorsque le ballon a franchi complètement la ligne se trouvant entre les poteaux de but… sous la barre transversale !

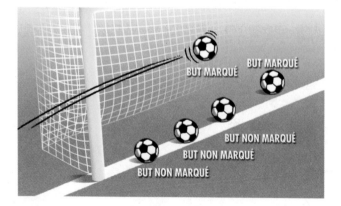

Le hors-jeu

Des discussions, encore des discussions, voilà certainement la règle du jeu qui amène le plus de controverses lors d'un match ! Et pourtant, elle n'est pas si compliquée. Explication : un joueur est en position hors-jeu lorsqu'il est plus près de la ligne de but adverse que le ballon et l'avant-dernier adversaire. (Savais-tu qu'il n'y a pas de position hors-jeu dans sa propre zone ?)

Par contre, jusque-là, l'arbitre ne doit pas intervenir. Il le fera seulement lorsque le joueur qui est en position hors-jeu :

- Recevra le ballon
- Influencera un adversaire
- Tirera avantage de sa position

En fait, ce n'est pas si compliqué… mais comme les joueurs jouent et se déplacent de plus en plus vite, parfois cette règle est difficile à appliquer.

Savais-tu que… ?

Il n'y a pas de hors-jeu sur une rentrée en touche, sur un coup de pied de but, sur un *corner* et, bien sûr, quand il n'y a pas de passe vers l'avant.

Les fautes

Le soccer est un sport où les joueurs peuvent se toucher, mais sans commettre d'actions violentes. Il est interdit de donner un coup de pied à l'adversaire, de faire un croche-pied, de frapper, de foncer dans un adversaire, de bousculer ou de retenir un adversaire, de toucher volontairement le ballon de la main (à l'exception, bien sûr, du gardien de but, à l'intérieur de son grand rectangle) ou de jouer d'une manière dangereuse. Selon la gravité de la faute (et/ou du nombre de fautes commises), un joueur pourra se faire avertir (carton jaune) ou même se faire expulser du terrain (carton rouge). Tous les comportements antisportifs d'un joueur seront également sanctionnés par l'arbitre : contester une décision, retarder le jeu, insulter, cracher…

C'est **tolérance zéro** !

Les reprises de jeu

Lorsque l'arbitre a sifflé une des fautes énumérées à la page précédente, le jeu reprend soit par un coup franc indirect (tu ne peux pas tirer directement sur les buts), soit par un coup franc direct (un but peut être marqué directement) ou soit par un *penalty* (si la faute a été commise dans le grand rectangle). Lorsque le ballon est sorti par la ligne de but (largeur du terrain) et par un adversaire, le jeu est repris par un coup de pied de but. Si c'est un défenseur qui a fait sortir le ballon par la ligne de but, l'équipe adverse peut jouer un *corner*.

Lorsque le ballon est sorti par la ligne de touche (longueur du terrain), le jeu reprend par la seule action qui se joue avec les deux mains (sauf, bien sûr, dans le cas du gardien de but), soit une rentrée en touche.

🏃 Les techniques de base

Maîtriser le ballon constitue un atout majeur pour tout joueur qui veut progresser dans ce sport d'équipe. Nous te présentons ci-dessous quelques techniques que tu pourras pratiquer.

Les surfaces de contact

Contrairement à plusieurs sports, l'emploi des bras et des mains est interdit (sauf, bien sûr, pour le gardien de but et lors des rentrées en touche).

Les principales surfaces de contact sont :

Plus la surface de contact est large, plus le geste sera réalisé avec précision. Plus la surface de contact est petite, plus le geste sera réalisé avec force.

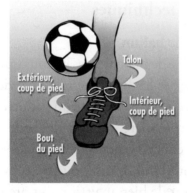

Le soccer est un sport techniquement difficile, car il se joue avec les pieds et il est difficile de voir en même temps le ballon et le jeu.

> La technique :
> c'est « l'art » de maîtriser
> le ballon dans les situations de match !

Questions de techniques

1 ⟶ Maîtriser le ballon

Il faut être capable de maîtriser les ballons qui te parviennent au sol (contrôle) et les ballons qui te parviennent des airs (amorti). La qualité de la maîtrise du ballon est aussi appelée qualité de la « première touche de balle » et détermine l'efficacité des enchaînements techniques suivants. Dans le soccer d'aujourd'hui, qui se joue de plus en plus vite, il est très important de bien maîtriser « sa première touche de balle » et de la réaliser en mouvement.

Jonglages

Si tu aimes jongler avec le ballon, tu vas être gâté! Voici trois exercices, histoire de t'améliorer un peu tous les jours.

IL Y A LE JONGLAGE AVEC LES PIEDS Tu lances le ballon en l'air (avec la main et pas trop fort) et tu essaies de le rattraper avec tes pieds et de continuer à jongler avec les pieds. Ce n'est pas facile.

IL Y A LE JONGLAGE AVEC LA TÊTE Tu lances le ballon en l'air (avec la main) pour qu'il arrive un peu plus haut que ta tête et tu jongles en te servant de ta tête.

IL Y A LE JONGLAGE AVEC LES GENOUX Tu jongles avec ton genou gauche et puis avec ton genou droit. Tu peux même jongler alternativement avec les deux genoux.

Lorsque le ballon touche la surface de contact :

> Remonte le ballon suffisamment haut et laisse-le rebondir sur le sol après chaque touché avec le pied

> Le ballon reste proche de toi

> Ta jambe d'appui est légèrement fléchie, tu es bien en position

Jeu au mur

Y a-t-il un mur où tu peux t'exercer avec un ballon? (Attention, éloigne-toi des vitres!)

Si tu as un copain ou une copine, cet exercice est idéal.

Il suffit de frapper le ballon contre un mur et que ton ami(e) le réceptionne et le renvoie à son tour sur le mur.

Lorsque le ballon rebondit sur le mur:

➤ Sois prêt à le réceptionner (sois concentré et jambes fléchies)

➤ Va au-devant du ballon (attaque le ballon)

➤ Utilise ta surface de contact la plus adaptée (la plus large)

2 ➡ Progresser avec le ballon

La **conduite** du ballon te permet de progresser sur le terrain lorsque l'espace est libre (il n'y a pas d'adversaire devant toi). Généralement, la conduite se réalise vers le but, mais elle permet souvent aussi de changer la direction du jeu. Toutes les surfaces de contact du pied peuvent, bien sûr, être employées.

Durant la partie, tu vas être amené à éliminer, ballon au pied, un ou plusieurs adversaires : tu réalises alors un **dribble**. Pour bien exécuter un dribble, trois conditions sont indispensables :

- Un changement de vitesse
- Un changement de direction
- La réalisation d'une feinte (faire croire à ton adversaire que tu vas partir d'un côté ou que tu vas utiliser tel pied et faire exactement le contraire)

Le passement de jambes
La roulette et le double crochet

Il te faut de belles qualités de coordination et de vitesse. Il est également très important de réaliser ton dribble au bon moment (ni trop près, ni trop loin de ton adversaire).

Il existe une grande variété de gestes de dribble : le passement de jambes, la roulette, le double crochet… Les plus grands joueurs au monde – Zidane, Maradona, Ronaldinho, Ronaldo, Kaka et Henry – maîtrisent très bien cet art.

Le dribble est un geste très spectaculaire, mais il faut aussi qu'il serve le bien de l'équipe.

Jeu de l'épervier

Le groupe est divisé en deux. Si vous êtes dix, il y a donc deux équipes de cinq joueurs et si vous êtes quatre seulement, il y a deux équipes de deux joueurs.

Les joueurs d'une des deux équipes ont tous un ballon.

Le but du jeu est d'essayer de voler le ballon à ces joueurs quand ils vont essayer de traverser le terrain d'un bout à l'autre.

Quand c'est réussi, celui qui a perdu le ballon est éliminé et va s'asseoir jusqu'à ce que tous aient perdu leur ballon.

Lorsque que tu traverses la zone ballon au pied

> Utilise la surface de contact la plus adaptée

> Réalise une feinte

> Change de rythme

> Maîtrise le ballon en tout temps (garde-le près de toi

Course de relais

J'adore les courses de relais. Et toi? Pour cet exercice, il faut avoir des cônes, mais si tu n'en as pas, de simples sacs feront l'affaire.

Il faut éviter les objets dangereux. L'exercice est simple. D'abord, vous vous partagez en deux équipes ayant un nombre égal de joueurs.

Chaque équipe dispose ses cônes de la même façon sur le terrain. Idéalement, les équipes sont l'une à côté de l'autre, comme sur le dessin, et les cônes ne sont pas alignés.

En conduisant le ballon, les joueurs doivent passer à tour de rôle entre les cônes.

L'équipe qui gagne est celle dont les joueurs font le parcours sans erreur et terminent en premier.

Lorsque tu te déplaces avec le ballon:

> Garde la tête haute

> Utilise tes deux pieds

> Fais attention à ton équilibre

3 → Transmettre le ballon

Lorsque tu es en possession du ballon et que tu n'as plus la possibilité de le conduire ou de dribbler, tu dois le transmettre. Soit que tu veuilles le transmettre à un coéquipier et tu essaies alors de lui faire la meilleure passe possible (afin qu'il puisse à son tour le conduire) ou soit que tu tires au but. Bien sûr, lors d'un tir au but, tu fais ton possible pour déjouer le gardien de but.

Pour être efficaces, les passes doivent être précises et avoir la bonne vitesse. Dès le début, tu dois apprendre à connaître tes coéquipiers et leur façon de jouer : tu dois réaliser les passes vers un coéquipier, arrêté ou en pleine course, entre deux adversaires, dans un espace libre ou dans le dos de l'adversaire…

Toutes les surfaces de contact autorisées au soccer (y compris la tête) pourront être utilisées pour réaliser une bonne passe. Il existe une grande variété de passes que tu peux exécuter selon la longueur et la hauteur du tir et selon la nécessité de contrôler ou non le ballon.

Attention, dans le cas d'une «rentrée en touche», tu peux même utiliser tes mains!

Lors d'un tir au but, les consignes sont pratiquement les mêmes que pour une passe sauf que, pour toi, la priorité est alors de marquer. Comme les occasions de marquer sont rares lors d'un match, tu dois apprendre à ne pas te précipiter et tu dois être capable de tirer de toutes les positions (y compris dos au but ou avec la tête).

Attention, au soccer, on a toujours tendance à regarder le ballon, mais il est très important de lever souvent les yeux pour voir où se trouvent les joueurs et le gardien de but adverse.

Marque et recule

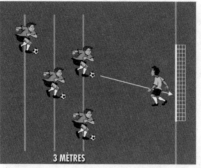

3 MÈTRES

Repère sur l'illustration la ligne qui se trouve le plus près du but, celle sur laquelle tu vois deux joueurs. Elle est à neuf mètres du but.

À partir de cette ligne, tu dois essayer de tirer le ballon dans le but jusqu'à ce que tu y réussisses (attention, chaque joueur à son tour).

Quand tu y parviens, bravo! Tu recules alors d'une ligne (soit de plus ou moins trois mètres).

Essaie encore une fois de tirer dans le but jusqu'à ce que tu y parviennes.

Sois persévérant et, lorsque tu réussis, tu recules encore d'une ligne.

C'est le premier joueur à marquer de la troisième ligne qui gagne.

Lorsque tu frappes:

> Tes yeux regardent le ballon

> La jambe qui frappe le ballon est relâchée

> Penche légèrement le tronc vers l'avant

Passe et tire

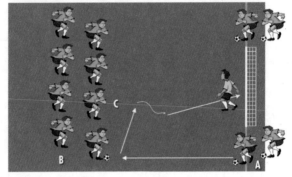

Cet exercice n'est pas compliqué. La lettre «A» sur le dessin, c'es[t] toi. Tu vois?

Tu passes le ballon à «B» qui le passe à son tour à «C». Ce dernie[r] doit le conduire et tirer au but.

Gare au gardien de but!

Au fur et à mesure, tu prends la place de «B», qui prend celle d[e] «C», qui prend la tienne et vous continuez ainsi sans interromp[re] le jeu.

Lorsque tu frappes

> Ton pied d'appui (celui qui ne touche pas le ballon[)] se trouve à côté du ballon et pointe vers le bu[t]

> Tes bras sont ouverts pour garder un meilleur équilibr[e]

4 → Récupérer le ballon

Pour gagner un match, ton équipe doit marquer des buts (au minimum, un de plus que l'équipe adverse). Se défendre pour empêcher l'équipe adverse de marquer n'est qu'une partie de la stratégie. Après une mauvaise passe, un mauvais dribble ou bien après un but, ton équipe n'est plus en possession du ballon, il est donc urgent de le récupérer afin de pouvoir à nouveau attaquer et marquer. Pour récupérer le ballon, il existe de nombreuses techniques selon qu'il se trouve au sol ou dans les airs, dans les pieds de l'adversaire ou dans un espace libre, que l'adversaire soit de face ou de dos... Mais attardons-nous sur une technique particulière : le «tacle».

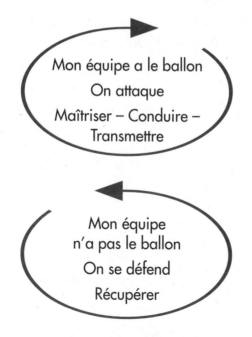

Mon équipe a le ballon

On attaque

Maîtriser – Conduire – Transmettre

Mon équipe n'a pas le ballon

On se défend

Récupérer

Pour avoir les meilleures chances de récupérer le ballon, tu dois veiller à avoir de bons appuis au sol (pieds) et être à la bonne distance de ton adversaire (ni trop loin, ni trop près). Ne détache pas les yeux du ballon afin de ne pas te laisser leurrer par une feinte de ton adversaire. Il est aussi très important de rester debout le plus longtemps possible. Quand tu es par terre, tu ne peux plus jouer! Le «tacle glissé» doit donc être employé comme l'arme de la toute dernière chance.

Tacle et récupère le ballon I

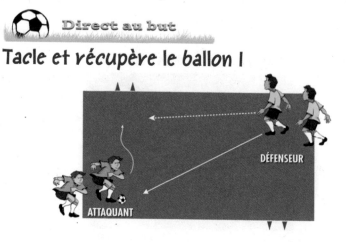

Heureusement pour toi, tu viens de recevoir une mauvaise passe d'un joueur du camp adverse.

À toi maintenant de jouer. Tu vois les deux triangles rouges de chaque côté du dessin? Ils représentent des cônes qui délimitent les buts adverses.

Tu as le choix d'aller marquer dans un des deux buts, mais attention, le joueur du camp adverse ne va pas te laisser faire !

Lorsque tu joues en défense :

> Place-toi le plus rapidement possible entre le but et l'attaquant

> Lorsque tu t'approches de l'attaquant, ralentis

> Si tu récupères le ballon, attaque rapidement vers le but adverse

Tacle et récupère le ballon II

DÉFENSEUR

ATTAQUANT

Vas-y! Quand ton coéquipier t'aura passé le ballon, c'est à toi de jouer. Essaye de traverser jusqu'à la ligne du fond en contrôlant le ballon avec tes pieds, mais attention, l'adversaire ne te laissera pas faire! Il va essayer de le prendre pour traverser lui aussi la ligne du fond de l'autre côté. Après 30 secondes de jeu, c'est ton coéquipier qui prend ta place.

Lorsque tu joues en défense :

> Mets le plus rapidement possible de la pression sur l'attaquant

> Concentre-toi sur le ballon et non sur le mouvement de ses jambes

> Si tu es dépassé, utilise le tacle glissé

⟟ La tactique de base

Coopération et opposition

Le soccer, comme d'autres sports collectifs, est un sport de
collaboration (avec tes coéquipiers) et d'opposition (contre
tes adversaires).

Durant un match, il existe trois situations qui vont t'amener à jouer différemment :

- Tu as le ballon et tu peux exécuter toutes les techniques (tu maîtrises le ballon, tu progresses avec le ballon ou tu transmets le ballon)
- Tu n'as pas le ballon, mais un de tes coéquipiers le possède et tu dois essayer de l'aider en te « démarquant »
- Ton équipe n'a pas le ballon et tu dois, avec l'aide de tes coéquipiers, récupérer rapidement le ballon et empêcher l'adversaire de compter

La tactique :
c'est « l'art » de maîtriser le jeu
dans les situations de match !

Conserver le ballon : du 1 contre 1 (au 4 contre 4)

Lorsque tu joues 1 contre 1 (par exemple, dans la rue ou dans la cour de l'école), tu réalises la situation de base du soccer. Cependant, tes choix d'actions sont limités, car tu n'as pas d'équipier et il n'y a qu'un seul adversaire à déjouer. Il est très important de maîtriser tous les principes de cette situation de 1 contre 1, car elle te permet d'améliorer ta technique de base et tu apprends aussi comment l'utiliser face à un adversaire.

Dès que tu joues à quatre joueurs (toi et trois équipiers) contre deux, trois ou quatre adversaires, toutes les possibilités d'actions sont créées et tu dois faire des choix.

Nous avons une situation de jeu où de nombreux triangles sont formés (ou mieux, des losanges). Pour former de bons triangles lorsque ton équipe a le ballon, il faut que les joueurs qui ne l'ont pas se démarquent correctement en se libérant de la présence d'un adversaire direct ou en occupant un espace libre.

Attention, il ne faut jamais se positionner en ligne par rapport au possesseur du ballon, car cela encourage la passe horizontale, plus facile à intercepter par un adversaire. De plus, le positionnement en ligne empêche d'utiliser l'espace devant soi. Et si, malheureusement, l'équipe perd le ballon, la défense n'est pas bien disposée.

Progresser dans le jeu

Grâce au jeu en triangle (ou en losange) ton équipe est capable de conserver le ballon, mais n'oublie pas que l'objectif du soccer est de marquer des buts. Pour cela, il faut progresser. Bien sûr, ce n'est pas toujours facile de progresser, car l'adversaire aussi a appris à bien se défendre. Il faut donc être capable de déterminer les situations qui nous sont favorables pour arriver le plus vite possible au but de l'adversaire. Attention, cela ne signifie pas donner un coup de pied ou *kicker*, comme on l'entend trop souvent autour du terrain, mais faire des passes précises pour conquérir l'espace rapidement. Parfois, c'est difficile, car il y a peu d'équipiers. Il faut donc que tous les joueurs forment un bloc compact pour limiter les espaces.

Déséquilibrer l'adversaire

Tu peux, bien sûr, éliminer un ou plusieurs adversaires par des dribbles, mais, avec l'aide de tes équipiers, tu peux réaliser de nombreux autres jeux.

En voici trois exemples :

A ⟶ **Donner-jouer**

Lorsque tu réalises une passe, il faut immédiatement que tu te rendes à nouveau disponible en effectuant une course (démarquage).

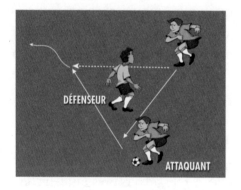

B ⟶ **Le 1-2**

Avec l'aide d'un équipier, tu peux éliminer un adversaire en réalisant une seconde passe. Pour cela, après ta passe, tu dois accélérer et ton partenaire doit te faire une seconde passe dans le dos de cet adversaire.

C → *Overlap*

Le dédoublement (*overlap*), c'est un peu comme la tactique B (le 1-2), mais la deuxième passe n'est pas réalisée dans le dos de l'adversaire.

Pour que tu puisses réaliser des combinaisons de ce type, tu dois beaucoup communiquer avec tes équipiers, aussi bien par la voix que par les gestes. Bien connaître le potentiel de tes coéquipiers est également un atout pour que vos actions individuelles soient bien coordonnées et deviennent de bonnes actions collectives.

Finir par un but

Plus on se rapproche des buts de l'équipe adverse, plus cela devient difficile, car les adversaires essaient (et c'est normal) de défendre farouchement leur zone. Il faut donc jouer vite et avec beaucoup d'audace. De nombreux buts sont marqués sur des arrêts de jeu (*penalty*, coup franc, *corner*).

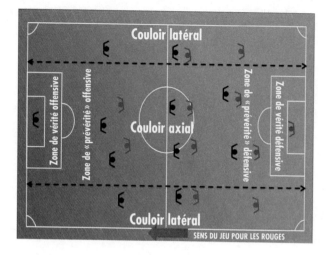

Couloir latéral

Zone de vérité offensive

Zone de « préverité » offensive

Couloir axial

Zone de « préverité » défensive

Zone de vérité défensive

Couloir latéral

SENS DU JEU POUR LES ROUGES

Positionnement à 11 joueurs

Le positionnement à 11 joueurs est indispensable pour pouvoir occuper la totalité du terrain et ainsi avoir de bonnes chances de gagner la partie.

🏃 Les qualités physiques

Efforts exigés pendant un match

Durant un match de soccer de 90 minutes (soit la durée d'un match pour adultes), le temps réel de jeu se situe entre 55 et 65 minutes (selon le niveau des joueurs). Le reste du temps, le ballon est hors du jeu ou bien le jeu est arrêté (fautes, changements de joueurs, etc.). Pendant les minutes de jeu, chaque joueur va devoir répéter des efforts explosifs (violents) et courir en moyenne 12,5 kilomètres!

Puis il pourra réaliser :

- De 50 à 55 duels (au sol ou dans les airs)
- De 25 à 40 sauts
- De 2 à 8 tacles
- De 100 à 120 sprints (de 1 à 6 secondes)
- Passes, tirs, etc.

Le soccer est donc un sport qui exige de répéter un grand nombre de fois, pendant 90 minutes, des efforts intensifs. De plus, les efforts demandés se font presque exclusivement pendant les sprints.

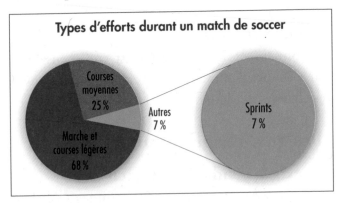

Types d'efforts durant un match de soccer

Courses moyennes
25 %

Autres
7 %

Sprints
7 %

Marche et courses légères
68 %

Tu dois savoir que, pour chaque joueur, c'est pendant le temps qu'il consacre aux sprints (7 % du temps de jeu) qu'il accomplit toutes ses actions importantes… et qu'il marque des buts !

Aptitudes physiques nécessaires au soccer

Le soccer est un sport où se succèdent de nombreuses actions différentes : des sprints courts à intensité maximale, des courses légères, du footing et de la marche. Mais n'oublions pas, le soccer est aussi et surtout un sport qui nécessite une bonne technique et une bonne compréhension du jeu (tactique). C'est pour cela que la préparation physique est au service du jeu, elle n'est pas une fin en soi ! Il faut intégrer le plus souvent possible le ballon dans les exercices afin d'augmenter l'intérêt du joueur. Inclure des éléments du jeu et le ballon dans la préparation physique permet de maintenir un bon niveau technique et de travailler la lucidité même en étant fatigué.

Permet de répéter des actions un grand nombre de fois

Endurance

Permet de réaliser des gestes techniques

Souplesse

Résistance

Permet de maintenir des efforts intensifs

Permet d'avoir un bon équilibre

Coordination

Vitesse

Permet de dribbler

Force

Permet de gagner les duels défensifs

Dans tous les cas, en matière de préparation physique, il ne faut jamais oublier que tu n'es pas encore un adulte, ni quant à ton anatomie, ni quant à ton développement physique! Une qualité comme la «résistance» ne doit être travaillée de façon spécifique qu'après la puberté.

La puberté: c'est la période de transformation du corps qui caractérise le passage de l'enfance à l'âge adulte. Elle se matérialise pendant l'adolescence par des modifications anatomiques comme la croissance et la transformation des organes sexuels.

Le joueur de soccer doit également développer d'autres belles qualités pour arriver à s'améliorer: la volonté, le courage, la persévérance, la rigueur… et l'esprit sportif (fair-play)!

«Un ballon dans mes pieds,
un terrain de soccer pour courir et j'ai des heures de plaisir!»
Alessandro, Ivrea (Italie)

LE MOT DE L'ENTRAÎNEUR

« Un seul sport n'a connu ni arrêt, ni recul : le soccer !
À quoi cela peut-il tenir sinon à la valeur intrinsèque du jeu lui-même,
aux émotions qu'il procure, à l'intérêt qu'il présente ! »

– Pierre de Coubertin

Mieux se connaître par le sport

En plus de t'inciter à développer ton esprit sportif, le présent chapitre a pour but de te faire prendre conscience qu'il est important de bien t'alimenter pour avoir la meilleure forme physique possible et surtout, pour prévenir toute blessure lors du jeu. Il te donnera les moyens d'y parvenir.

Favoriser le développement de tes aptitudes sportives et connaître tes limites t'aideront à mieux évaluer tes possibilités.

Les avantages de pratiquer le soccer

Pour la santé :
Lutte contre l'obésité, l'ostéoporose...

Développement des jeunes :
Éducation et prévention du crime, de l'anxiété...

Développement social :
Intégration, renforcement des collectivités...

🏃 L'esprit sportif

Qu'est-ce que l'esprit sportif?

Le soccer est une merveilleuse école de vie axée autour de deux valeurs très importantes : plaisir et respect.

> « *Ceux qui ont jugé ma carrière ont dit que j'étais toujours fair-play. Cela me rend plus heureux que tous les buts que j'ai pu marquer !* » – Pele

PELE est considéré comme le meilleur joueur de soccer de tous les temps. Il est le seul joueur de soccer à avoir été trois fois champion du monde !

Bien sûr, lorsque tu joues au soccer, tu le fais par plaisir, parce que tu aimes ça ! Et tu peux être certain que même les joueurs professionnels de l'Impact de Montréal, du Toronto FC et des Whitecaps de Vancouver éprouvent encore beaucoup de plaisir à jouer !

Le respect te permettra de vivre à fond ta passion pour ce merveilleux sport :

- Respecter les règles du jeu, ne pas chercher à tricher
- Respecter les personnes qui s'occupent de toi : tes parents, ton entraîneur, ton gérant, etc.
- Respecter l'équipement mis à ta disposition : les ballons, les dossards, les vestiaires…
- Respecter les arbitres (et leurs assistants), comprendre qu'ils ont le droit de se tromper et ne pas douter de leur honnêteté et de leur intégrité
- Respecter et reconnaître la qualité de l'adversaire, dans la victoire comme dans la défaite
- Respecter les « couleurs » de ton équipe (club, école, province, pays)
- Respecter ton sport et les valeurs qu'il transmet

La pratique du soccer te permettra également de mieux te respecter et d'améliorer, entre autres :

- Ton développement personnel comme sportif et comme citoyen
- Ton estime de toi
- Ta confiance en toi
- Tes aptitudes sociales
- Ton intégration sociale

Do you speak soccer? Au soccer, tu dois adopter les comportements propres à ce sport, comme :

- Saluer les arbitres, leurs assistants et les adversaires avant et après le match
- Rendre le ballon à l'adversaire à la suite, par exemple, d'une blessure de l'un de leurs joueurs
- Tendre la main à l'adversaire pour l'aider à se relever
- Discuter tranquillement après la partie avec les arbitres et les adversaires

Le slogan utilisé par la FIFA est « *My Game Is Fair Play!* » (« Mon jeu est fair-play! »). Il est important qu'à tout moment, le fair-play soit présent sur les terrains de soccer.

Quelques pistes d'amélioration

Voici des gestes positifs qui permettent de favoriser un esprit d'équipe et d'encourager une attitude sportive chez les joueurs :

- Ne pas récompenser seulement le résultat d'un match, car en agissant ainsi, on encourage parfois des comportements répréhensibles comme la violence ou l'intimidation. Certes, la victoire est importante, mais pas à n'importe quel prix. D'autres attitudes ou comportements doivent aussi être encouragés : présence et ardeur aux entraînements, actes de fair-play, relations avec les équipiers, conduite à l'école… Le « meilleur » n'est pas toujours celui qui gagne. Il faut essayer de changer la culture de la « médaille » avec les jeunes joueurs.

- L'entraîneur de soccer est avant tout un éducateur, un formateur. Il faut améliorer la formation en ce sens : il faut apprendre aux éducateurs qu'ils sont des modèles pour les jeunes joueurs et qu'ils peuvent souvent « désamorcer » des situations difficiles.

- Faire adhérer un maximum de joueurs et d'entraîneurs à une charte d'éthique spécifique au soccer.

« Le but n'est pas toujours là pour être atteint,
mais pour servir de point de mire. »
— J. Joubert

Bien s'alimenter pour mieux jouer

Pourquoi bien s'alimenter ?

Normalement, les activités pour rester en bonne santé devraient constituer un plaisir et non une corvée! Bonne nouvelle : jouer au soccer quelques fois par semaine permet justement de conserver une bonne santé. En effet, le soccer, comme d'autres sports ou activités d'ailleurs, permet de lutter contre ce fléau des temps modernes qu'est le surplus de poids ou l'obésité!

OBÉSITÉ : c'est l'état d'une personne possédant une masse graisseuse plus importante que la moyenne des individus. Déjà en 2004, environ 6,8 millions d'adultes canadiens âgés de 20 à 64 ans avaient un excès de poids, tandis que 4,5 millions de plus étaient obèses !

Peu de joueurs vont devenir riches et célèbres en pratiquant le soccer, mais ils peuvent tous devenir et rester physiquement et mentalement sains. Cependant, jouer au soccer n'est pas tout, il faut également avoir une alimentation saine et équilibrée. Une bonne alimentation fait partie d'un entraînement « secret » qui va te permettre de mieux jouer ! La nourriture, d'origine animale ou végétale, sert à des fins énergétiques et nutritionnelles.

Quelques règles simples

Bien qu'il n'y ait pas de recette magique en matière d'alimentation ou de régime alimentaire, bien manger et boire permet aux joueurs, quel que soit leur niveau de jeu, d'atteindre plus facilement leur objectif aussi bien à l'entraînement que durant une partie. Cela tient à quelques règles très simples (voir le tableau à la page 65). Les joueurs de soccer ont des besoins accrus en matière d'alimentation pour compenser l'énergie dépensée sur le terrain.

Ces besoins varient d'un joueur à l'autre selon :

- Le poids
- L'intensité des matchs et des entraînements
- Les besoins liés à la croissance
- D'autres caractéristiques personnelles

Pour jouer de façon intensive au soccer, tu dois fournir à ton corps plus d'eau et de glucides qu'en temps normal. Tu dois toujours penser à boire suffisamment d'eau pendant et après l'effort! Comme tu joues souvent au soccer en été, tu dois être très vigilant pour ne pas te déshydrater. La soif n'est pas un indicateur pour savoir quand tu dois boire, c'est un signe de déshydratation. Tu dois donc boire souvent, avant d'avoir soif. L'eau constitue la plus grande partie de ton corps. Boire est donc un réflexe tout à fait naturel et vital.

Si une personne perd seulement 10 % de son eau, elle frôle déjà la mort. Jouer au soccer entraîne une perte importante d'eau qu'il faut combler en buvant avant, pendant et après la rencontre ou l'entraînement.

Ton corps ne peut pas stocker des quantités importantes d'eau, il est donc préférable que tu boives souvent et en quantité raisonnable. Manquer d'eau représente un risque élevé pour ta santé et limite ta qualité de jeu.

Autre précaution : essaie de prendre ton dernier repas trois ou quatre heures avant un match afin de permettre à ton organisme de bien digérer.

N'oublie pas : bien manger, en plus d'être agréable, te permet de mieux jouer, d'être en meilleure condition physique et de récupérer plus facilement entre les matchs et les entraînements.

Savais-tu que... ?

- Tu dois limiter ta consommation d'aliments et de boissons riches en calories, en lipides, en sucre et en sel tels que crème glacée, beignes, bonbons, frites, boissons gazeuses, jus sucrés
- Tu dois déjeuner tous les matins afin de bien commencer la journée
- Tu dois prendre le temps de déguster chaque bouchée
- Tu dois marcher le plus souvent possible
- Tu dois manger des fruits et des légumes à chaque repas
- Tu dois éviter de rester trop longtemps inactif devant l'ordinateur ou les jeux vidéo

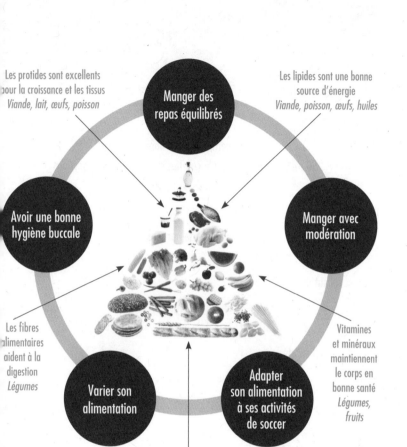

Les protides sont excellents
pour la croissance et les tissus
Viande, lait, œufs, poisson

Manger des
repas équilibrés

Les lipides sont une bonne
source d'énergie
Viande, poisson, œufs, huiles

Avoir une bonne
hygiène buccale

Manger avec
modération

Les fibres
alimentaires
aident à la
digestion
Légumes

Varier son
alimentation

Adapter
son alimentation
à ses activités
de soccer

Vitamines
et minéraux
maintiennent
le corps en
bonne santé
*Légumes,
fruits*

Les glucides sont une bonne
source d'énergie
*Céréales, pain, pâtes,
fruits, légumes*

NOMBRE DE PORTIONS RECOMMANDÉ PAR JOUR SELON LE GUIDE ALIMENTAIRE CANADIEN			
	ENFANTS		**ADOLESCENTS**
ÂGE	4-8 ANS	9-13 ANS	14-18 ANS
SEXE	FILLES ET GARÇONS	FILLES ET GARÇONS	FILLES / GARÇONS
Fruits et légumes	5	6	7 / 8
Exemples de portions : 250 ml (1 tasse) de brocoli, carottes et poivrons = 2 portions 1 pomme = 1 portion			
Produits céréaliers	4	6	6 / 7
Exemple de portions : 250 ml (1 tasse) de riz brun = 2 portions			
Lait et substituts	2	3-4	3-4 / 3-4
Exemple de portion : 250 ml (1 tasse) de lait 1 % = 1 portion			
Viandes et substituts	1	1-2	2 / 3
Exemple de portion : 75 g (2,5 onces) de bœuf maigre = 1 portion de viande			

🏃 La sécurité

Pourquoi la sécurité est-elle si importante ?

La règle d'or est simple : pas de compromis sur la sécurité ! Et la sécurité, c'est l'affaire de tous : joueurs, parents, spectateurs, entraîneurs, arbitres... Malgré qu'un sport représente toujours certains risques, il faut s'amuser en sécurité !

Lorsque tu pratiques ton sport favori, il existe une série de mesures simples qui permettront d'éviter la plupart des accidents.

- L'équipement : avant le début du match, l'arbitre vérifie que tes souliers ne sont pas dangereux et que tu portes tes protège-tibias. Durant les entraînements, même s'il n'y pas d'arbitre pour vérifier, les mêmes règles s'appliquent. Le choix de souliers adaptés à ton pied et à la surface de jeu est important. Le gardien de but doit porter des pièces d'équipement supplémentaires pour se protéger, comme des gants et une vareuse rembourrée. Enfin, tu ne peux pas porter d'objet, comme un bijou, qui pourrait être dangereux pour les autres ou pour toi-même.

- Le terrain : le terrain devra être inspecté par l'entraîneur ou par l'arbitre qui s'assureront qu'il n'y a pas de trous ou d'objets dangereux. Un soin particulier sera donné :
  - À la qualité et à l'ancrage des buts
  - À la qualité des drapeaux de coins
  - Aux zones de dégagement autour du terrain
- Le ballon sera sécuritaire et sa taille adaptée à l'âge des joueurs.
- La météo : le soccer se jouant principalement à l'extérieur, il faut se tenir bien informé des conditions météorologiques. Les températures extrêmes (chaudes ou froides) auront des conséquences sur le déroulement des entraînements et des matchs. On ne joue pas au soccer de la même façon à 2°C dans le brouillard qu'à 35°C en pleine canicule ! Ces différentes conditions devront s'accompagner de mesures adéquates (hydratation, vêtements appropriés, crème solaire, réchauffements adaptés…).
- Le jeu : étant un sport d'opposition, le soccer peut présenter quelques situations dangereuses. Il est de la responsabilité des arbitres et des entraîneurs que les règles du jeu soient suivies et que l'esprit de fair-play règne sur le terrain et aussi hors du terrain. Le jeu avec la tête, principalement chez les jeunes joueurs, doit être pratiqué avec prudence et même prohibé avant l'âge de 10 ans.

- La préparation : des joueurs de soccer bien préparés (repos, bonne alimentation, hydratation adéquate, réchauffements intelligents… et bonne technique) jouiront, en principe, d'une sécurité accrue.

Contrôles de santé et prévention des blessures

Il n'est pas toujours facile d'évaluer la forme physique d'un joueur de soccer, car tous les matchs sont différents. Il existe cependant de nombreux tests qui permettent de mesurer certaines aptitudes physiques telles que l'endurance et la vitesse. Cela permet au joueur de se motiver et de se situer par rapport aux besoins de ses entraînements et de ses matchs. Après une blessure, cela lui permet également de vérifier s'il a bien retrouvé sa forme initiale. Quant à l'entraîneur, cela lui permet d'optimiser les entraînements et sa planification. N'oublions pas qu'un joueur bien entraîné et en santé minimise les risques pour sa sécurité et celle des autres.

En cas de problèmes en ce qui concerne les tests, n'hésite pas à en parler à tes parents ou ton entraîneur, voire à un médecin. Seul un médecin sera apte à déterminer les problèmes de santé éventuels, les allergies, les mauvaises habitudes alimentaires, l'impact des blessures antérieures et la santé des systèmes cardiovasculaire et respiratoire. Il est très rare, d'ailleurs, de rencontrer un joueur de soccer qui ne s'est pas blessé au moins une fois au cours de sa carrière.

Il se produit trois principaux types d'accidents : les accidents musculaires, les accidents articulaires et les entorses de la cheville. Les blessures les plus courantes au soccer sont :

- Blessures musculaires et entorses à la cheville
- Blessures dues au surentraînement
- Blessures douloureuses au genou
- Douleurs au pubis
- Chocs à la tête

En suivant les quelques règles de sécurité énoncées ci-dessus, il est possible d'améliorer fortement la sécurité. Et n'oublions pas que le soccer améliore aussi considérablement l'état de santé des joueurs :

- Le travail d'endurance améliore les fonctions cardiaque et respiratoire
- Les exercices de vitesse (c'est-à-dire les exercices très courts et très rapides) et les étirements améliorent les fonctions musculaires

✗ Les entraînements

Diriger les entraînements

Une saison, avant, pendant et après, qu'elle soit d'hiver ou l'été, dure plusieurs mois.

Il est donc important que l'entraîneur ou mieux, l'éducateur de soccer, soit bien préparé et bien organisé selon les étapes suivantes :

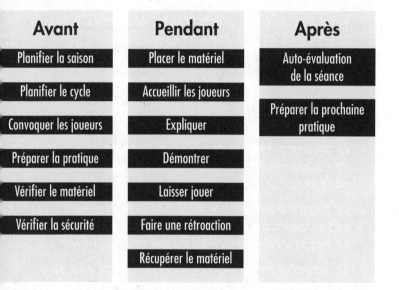

Avant	Pendant	Après
Planifier la saison	Placer le matériel	Auto-évaluation de la séance
Planifier le cycle	Accueillir les joueurs	Préparer la prochaine pratique
Convoquer les joueurs	Expliquer	
Préparer la pratique	Démontrer	
Vérifier le matériel	Laisser jouer	
Vérifier la sécurité	Faire une rétroaction	
	Récupérer le matériel	

LES DROITS UNIVERSELS DU JEUNE JOUEUR DE SOCCER

- LE DROIT AU PLAISIR À L'ENTRAÎNEMENT ET EN COMPÉTITION AVEC UNE LARGE VARIÉTÉ D'ACTIVITÉS QUI ENGENDRENT L'AMUSEMENT ET L'APPRENTISSAGE FACILE

- LE DROIT DE JOUER COMME UN ENFANT ET DE NE PAS ÊTRE TRAITÉ COMME UN ADULTE SUR LE TERRAIN ET EN DEHORS DU TERRAIN

- LE DROIT DE PARTICIPER À DES COMPÉTITIONS AVEC DES RÈGLES SIMPLIFIÉES, ADAPTÉES À SES APTITUDES ET SES CAPACITÉS À CHAQUE STADE DE SON ÉVOLUTION

- LE DROIT DE JOUER DANS LES CONDITIONS LES PLUS SÛRES

- LE DROIT DE PARTICIPER À TOUS LES ASPECTS DU JEU

- LE DROIT D'ÊTRE ENTRAÎNÉ PAR DES ENTRAÎNEURS ET ÉDUCATEURS EXPÉRIMENTÉS ET SPÉCIALEMENT PRÉPARÉS

- LE DROIT D'ACQUÉRIR DE L'EXPÉRIENCE EN RÉSOLVANT LA PLUPART DES PROBLÈMES QUI SE PRÉSENTENT PENDANT L'ENTRAÎNEMENT

- LE DROIT D'ÊTRE TRAITÉ AVEC DIGNITÉ PAR SON ENTRAÎNEUR, SES ÉQUIPIERS ET SES ADVERSAIRES

- LE DROIT DE JOUER AVEC DES ENFANTS DE SON ÂGE AYANT TOUS LES MÊMES CHANCES DE GAGNER

- LE DROIT DE NE PAS DEVENIR UN CHAMPION!

Les principes généraux

Chaque enfant suit différents stades de développement jusqu'à l'âge adulte. Cet ordre naturel ne prend pas de raccourci et doit être respecté également au soccer. Vouloir aller trop vite et forcer le développement d'un jeune joueur débouche souvent sur de piètres performances quand il est plus âgé et le mène à l'abandon.

Vous pouvez beaucoup aider un joueur en le corrigeant, mais encore plus en l'encourageant.

L'éducateur de soccer doit donc posséder de nombreuses qualités :

- Aimer les enfants
- Connaître les enfants (les stades de leur développement)
- Être juste et équitable
- Être passionné
- Être capable de communiquer avec les enfants
- Être à l'écoute
- Être patient
- Être pédagogue
- Être un modèle

Le tableau ci-dessous illustre les priorités en fonction de l'âge des joueurs, tant à l'entraînement que pendant les matchs :

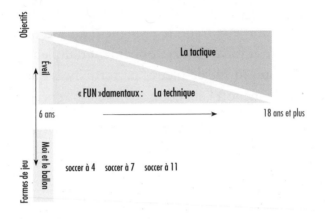

Au Canada, il existe depuis quelques années le programme Développement à long terme du joueur.

Ce programme a été conçu en partenariat avec les gouvernements (national et provinciaux) et l'Association canadienne de soccer (en partenariat avec les fédérations provinciales) afin d'établir des programmes d'entraînement et des compétitions qui correspondent aux besoins des joueurs (en fonction de l'âge et du niveau).

Tu peux obtenir plus de détails en consultant le lien suivant : http://www.canadasoccer.com/wellness/Wellness_CoupeDuMonde.asp

« Jouer au soccer, c'est du soleil
même quand il pleut. »
Kévin, Braine-l'Alleud (Belgique)

SUR LE TERRAIN

« Le soccer est le reflet de notre société.
Regardez bien l'expression d'un joueur sur le terrain,
c'est sa photographie dans la vie ! »

— Aimé Jacquet

Ma ruelle, ce merveilleux stade!

Ton premier match de soccer, tu l'as certainement disputé dans une petite ruelle derrière chez toi ou dans la cours de récréation de ton école primaire. Tu en as certainement gardé des souvenirs formidables. Dans «ta» ruelle, il n'y avait pas d'arbitre ni de vrais buts, mais un nombre indéfini de joueurs qui étaient tou tes amis... que du bonheur! Le match ne s'arrêtait que lorsque tu devais rentrer manger et reprenait de plus belle le lendemain. Puis, tu as eu l'âge et l'envie de t'entraîner dans un vrai club et de participer à de vraies compétitions. Là, tu as découvert un club, ton club, avec toute sa structure. En voici un exemple:

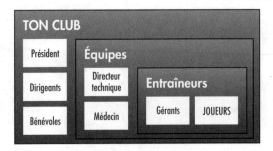

Tu te rends compte que pour faire fonctionner un club, il faut beaucoup de personnes, toutes passionnées. Tu leur dois le plus grand respect!

Les bénévoles sont des personnes qui consacrent librement et gratuitement une partie de leur temps libre au bon fonctionnement d'un club de soccer.
Ils sont au centre de la vie associative.

« Tout ce que je sais de plus sûr
à propos de la moralité et des obligations des hommes,
c'est au football *(soccer)* que je le dois. »
— Albert Camus

🏃 Les compétitions au Canada

En 2011, au Canada, nous aurons trois équipes masculines professionnelles de soccer dans la MLS (Toronto FC, Impact de Montréal et Whitecaps de Vancouver). Rêves-tu de jouer un jour dans une de ces trois équipes professionnelles ?

Savais-tu que... ?

MLS : La *Major League Soccer* est la principale ligue de soccer professionnel en Amérique du Nord. Elle a été créée en 1996 et est membre de la FIFA.

USL : La *United Soccer Leagues* est une organisation regroupant différents championnats de soccer en Amérique du Nord. La première division de l'USL est généralement considérée comme le deuxième niveau de soccer professionnel en Amérique du Nord après la MLS.

Malheureusement, du côté féminin, le développement d'une vraie ligue professionnelle est plus difficile.

Bien sûr, à côté de ces deux ligues professionnelles, il existe, à travers tout le pays, des ligues semi-professionnelles et amateurs. Les ligues **juvéniles** accueillent les jeunes dès l'âge de cinq ou six ans. Tous les clubs qui font partie de ces ligues permettent d'offrir le niveau de compétition qui correspond aux attentes et aux talents de chacun, comme toi !

Si tu as du talent, si tu es passionné et très travailleur, il existe un système d'identification qui te permettra de représenter ta région lors des Jeux du Québec (pour les joueurs de 13 ans). Si tu fais partie des meilleurs joueurs lors de cette compétition, peut-être seras-tu invité à joindre les équipes du Québec qui évoluent chaque année aux Championnats canadiens des sélections, *All Stars* (pour les joueurs de 14 ans à 16 ans). Si tu es encore parmi les meilleurs, peut-être seras-tu invité à joindre l'équipe nationale du Canada et à participer à la Coupe du Monde U17 (17 ans). Attention ! C'est un long chemin qui s'ouvre à toi.

IL EXISTE DEUX TYPES DE COMPÉTITIONS:
LA COMPÉTITION RÉSERVÉE AUX ÉQUIPES
NATIONALES (TOUS LES JOUEURS
DOIVENT AVOIR LA NATIONALITÉ
DU PAYS) ET LA COMPÉTITION RÉSERVÉE
AUX CLUBS PROFESSIONNELS.

POUR CE FAIRE, LA FIFA EST ORGANISÉE
EN SIX ZONES:

- AMÉRIQUE DU NORD, CENTRALE
  ET CARAÏBES (CONCACAF)
- AMÉRIQUE DU SUD (CONMEBOL)
- AFRIQUE
- EUROPE (UEFA)
- ASIE
- OCÉANIE

Des équipes nationales

La plus importante compétition entre équipes nationales est la Coupe du Monde (*World Cup*). Elle se déroule tous les quatre ans. La première Coupe du Monde fut organisée en 1930, en Uruguay, et la dernière a eu lieu en 2010, en Afrique du Sud.

La prochaine Coupe du Monde se tiendra au Brésil, en 2014.

Pour pouvoir participer à la Coupe du Monde, il faut d'abord se qualifier sur son propre continent. Pour nous, en Amérique du Nord, c'est la zone CONCACAF. Malheureusement, le Canada n'a pas participé à la Coupe du Monde 2010, car notre équipe ne s'est pas qualifiée. Le Canada ne s'est qualifié pour cette compétition qu'une seule fois et c'était en 1986, au Mexique.

C'est l'euphorie qui s'empare des joueurs canadiens lorsqu'ils apprennent qu'ils sont qualifiés pour la phase finale de la *Coupe du Monde 1986*, au Mexique. Entraînée par Tony Waiters, l'équipe canadienne, qui s'apprête à affronter la France, peut compter sur Gerry Gray, Randy Samuel, Bruce Wilson, capitaine de l'équipe, et Igor Vrablic. Quant à la France (les Bleus), elle s'appuie sur le «carré magique» formé par Michel Platini, capitaine de l'équipe, Alain Giresse, Luis Fernandez et Jean Tigana. Le 1er juin 1986, le journaliste Camille Dubé, en compagnie de Georges Schwartz, spécialiste du soccer, commente le match France-Canada, remporté par les Bleus 1-0.

« Mes parents me disent souvent que le soccer
m'a permis de garder le droit chemin. »
— René, Bruxelles (Belgique)

En alternance avec la Coupe du Monde, se déroulent les compétitions pour déterminer le pays champion de sa propre zone. Pour nous, c'est la CONCACAF. Par contre, la compétition la plus suivie, au Canada, c'est l'EURO (zone UEFA).

Des clubs

La compétition la plus connue est celle organisée en Europe : la *Champions League*.

Dans ce tournoi, nous y retrouvons des clubs célèbres tels qu'Arsenal, Manchester United, Milan AC, Real Madrid… Pour la Ligue des champions de la CONCACAF, l'Impact de Montréal a eu le privilège de représenter le Canada pour la première fois en 2008.

Pour devenir des champions : le rôle des parents

Les parents, au même titre que les entraîneurs, jouent un rôle majeur dans le suivi sportif de leurs enfants. Quel bonheur pour des parents que de voir leurs enfants pratiquer un sport dans lequel ils s'épanouissent pleinement! Les parents peuvent agir de différentes façons pour soutenir leurs enfants :

- En les encourageant
- En leur consacrant du temps
- En payant les dépenses inhérentes au sport
- En donnant l'exemple (comportement, fair-play…)
- En faisant confiance à la structure (club, entraîneurs…)

Tout parent qui joue pleinement son rôle adopte et respecte le *Code de l'esprit sportif québécois* :

1. Je ne forcerai pas mon enfant à prendre part à des activités sportives.

2. Je me rappellerai que mon enfant fait du sport pour son propre plaisir et non pour le mien.

3. J'encouragerai mon enfant à respecter les règles et à résoudre les conflits sans agressivité ni violence.

4. J'enseignerai à mon enfant qu'il est aussi important de donner le meilleur de soi-même que de gagner, de sorte qu'il ne sera jamais déçu par le résultat d'un match ou d'une manifestation sportive.

5. Je donnerai chaque fois à mon enfant le sentiment qu'il est un gagnant en le félicitant pour son esprit sportif et sa persévérance.

6. Je ne ridiculiserai jamais ni n'agresserai verbalement mon enfant parce qu'il a commis une erreur ou perdu une compétition.

7. Je ne mettrai jamais en doute le jugement ou l'honnêteté des officiels en public.

8. J'appuierai tout effort visant à supprimer la violence verbale et physique dans les activités sportives destinées aux enfants.

9. Je respecterai les entraîneurs bénévoles qui donnent de leur temps pour offrir des activités sportives à mon enfant et je leur témoignerai de la gratitude.

La vie t'invite à te connaître toi-même. À cet effet, lis le texte de la page suivante.

Tu seras un homme, mon fils

Si tu peux voir détruit l'ouvrage de ta vie
Et sans dire un seul mot te mettre à rebâtir,
Ou perdre en un seul coup le gain de cent parties
Sans un geste et sans un soupir,
Si tu peux être amant sans être fou d'amour;
Si tu peux être fort sans cesser d'être tendre
Et, te sentant haï, sans haïr à ton tour,
Pourtant lutter et te défendre;

Si tu peux supporter d'entendre tes paroles
Travesties par des gueux pour exciter des sots,
Et d'entendre mentir sur toi leurs bouches folles,
Sans mentir toi-même d'un mot;
Si tu peux rester digne en étant populaire,
Si tu peux rester peuple en conseillant les Rois
Et si tu peux aimer tous tes amis en frères,
Sans qu'aucun d'eux soit tout pour toi;

Si tu sais méditer, observer et connaître,
Sans jamais devenir sceptique ou destructeur,
Rêver, sans laisser ton rêve être ton maître,
Penser, sans n'être qu'un penseur;
Si tu peux être dur sans jamais être en rage,
Si tu peux être brave et jamais imprudent,
Si tu peux être bon, si tu sais être sage,
Sans être moral ni pédant;

Si tu peux rencontrer triomphe après défaite
Et recevoir ces deux menteurs d'un même front,
Si tu peux conserver ton courage et ta tête
Quand tous les autres les perdront;
Alors les Rois, les Dieux, la Chance et la Victoire
Seront à tout jamais tes esclaves soumis
Et, ce qui vaut bien mieux que les Rois et la Gloire,

Tu seras un Homme, mon fils.

Rudyard Kipling (1865-1936)

ES-TU EN FORME ?

« Nous aimons tous gagner,
mais combien aiment s'entraîner ? »
— Mark Spitz

L'éducateur au cours d'un match de débutants (6-7 ans) : « Mets le ballon dans l'espace... dans l'espace ! » Le petit garçon s'arrête et regarde en l'air pour essayer de comprendre comment il pourrait mettre le ballon dans l'espace !

Un instituteur demande à un de ses jeunes élèves :
« Paul, combien font 2 et 2 ? »
— Paul : « Match à égalité, monsieur ! »

Jean demande à son grand frère :
« Bernard, sais-tu pourquoi tes coéquipiers de soccer ont les mains lisses ? »
— Bernard : « Non, pourquoi ? »
— Jean : « À force de se les frotter en disant : "Cette fois, on va gagner !" »

« Le soccer, c'est ma passion.
C'est la seule raison qui me fait travailler fort. »
— Francesca, Banchette (Italie)

Un petit quiz… pourquoi pas?

Voici maintenant un quiz. Sauras-tu répondre correctement aux 10 questions suivantes? Profites-en pour évaluer tes connaissances sur le soccer.

Chaque bonne réponse vaut 10 points.

1)	Sais-tu combien de pays sont membres de la Fédération Internationale de Football Association (FIFA)?	108	208	308
2)	Sais-tu dans quel pays le soccer est né?	Angleterre	Brésil	France
3)	Sais-tu combien de lois du jeu il y a au soccer?	17	27	107
4)	Est-ce que les sprints sont importants au soccer?	oui	non	
5)	Est-ce que l'endurance au soccer permet de répéter des actions un grand nombre de fois?	oui	non	
6)	Est-ce que la sécurité durant un match de soccer est seulement la responsabilité de l'arbitre?	oui	non	
7)	Sais-tu combien de clubs professionnels de soccer il y a au Canada?	0	moins de 10	plus de 10
8)	Sais-tu en quelle année la première Coupe du Monde a été organisée?	1930	1980	1990
9)	Sais- tu en quelle année notre pays s'est qualifié pour la première fois pour la Coupe du Monde?	1986	2000	jamais
10)	Penses-tu que le soccer développe en toi de belles qualités de citoyen?	oui	non	

Voir les réponses à la page 99.

« C'est bon de ne pas regarder à la dépense...
de son énergie... »
— Jules Renard

🏃 Conseils de champions

Stéphanie, une jeune joueuse de soccer de 12 ans, voulait mieux connaître de grands joueurs de soccer, des champions. Un jour, elle a eu la chance de rencontrer quelques professionnels : Rhian Wilkinson, Marie-Ève Nault, Gabriel Gervais, Sergio Grande et aussi John Limniatis, alors qu'il était entraîneur de l'Impact de Montréal. Elle leur a demandé ce qu'ils aimaient le plus dans le soccer, comment ils ont évolué dans ce sport et quels étaient les conseils qu'ils pourraient lui donner. Voici ce qu'ils ont gentiment répondu :

Gabriel Gervais
Joueur professionnel au Canada

Sergio Grande
Joueur professionnel en Europe et au Canada

John Limniatis
Joueur professionnel en Europe et au Canada – Ex-entraîneur de l'Impact de Montréal

Marie-Ève Nault
Joueuse professionnelle au Canada

Rhian Wilkinson
Joueuse professionnelle au Canada

Stéphanie : Qu'est-ce que vous aimez dans le soccer ?

G. G. : *Le travail d'équipe, l'esprit d'équipe, la solidarité, la camaraderie, le leadership, la compétition, l'adrénaline, la santé physique et mentale ainsi qu'un mode de vie sain. Le soccer nous apprend à gagner, mais aussi à perdre. Il nous ouvre des portes pour voyager, pour étudier et même pour envisager une carrière professionnelle à l'extérieur du sport.*

M.-È. N. : *Ce que j'aime le plus est le sentiment de satisfaction ressenti à la fin d'un match quand je sais que j'ai donné le meilleur de moi-même. Autre chose, ce sont les rencontres avec différentes coéquipières, les amitiés créées et les voyages que le soccer m'a permis de faire tout au long de ma carrière.*

J. L. : *J'aime tout ce qui concerne le soccer. C'est un sport de tactiques, tant du point de vue physique que psychologique donc, vous devez utiliser votre intelligence, votre habileté et votre talent. C'est un sport d'action qui vous garde en forme et où vous devez communiquer et travailler avec les autres. C'est un travail d'équipe. Le soccer est un sport que vous pouvez pratiquer à tous âges et à différents niveaux, selon votre habileté.*

R. W. : *J'aime la camaraderie et l'amitié qui se développent en devenant membre d'une équipe de soccer. J'apprécie le travail d'équipe et la manière dont chacun l'utilise dans un but commun, que cela soit dans la victoire ou dans la défaite. C'est aussi une activité parfaite pour mettre à profit mon esprit de compétition.*

S. G. : *Ce que j'aime du soccer, c'est la passion que suscite ce sport dans le monde. Ce qui me plaît également, c'est l'effort d'équipe. Souvent, un joueur peut faire toute la différence, mais ce n'est jamais un gain individuel, c'est toujours une victoire d'équipe.*

Stéphanie : **Aviez-vous imaginé, lorsque vous étiez enfant comme moi, pouvoir devenir joueur de soccer professionnel ?**

G. G. : *Oui, c'était mon grand rêve lorsque j'étais enfant. Je rêvais de jouer dans une Coupe du Monde et de représenter le Canada. C'est un but que j'ai eu à un jeune âge et qui m'a stimulé durant mon enfance et mon adolescence. J'ai grandi au Pérou, en Amérique du Sud, où le soccer est comme une religion et moi aussi, j'ai été piqué par la fièvre du soccer.*

M.-È. N. : *Quand j'étais petite, vers 8-10 ans, je regardais les Olympiques et je me disais toujours qu'un jour, j'allais y participer. C'était un rêve et ça l'est toujours ! J'ai toujours voulu me rendre le plus loin possible, mais je ne savais jamais où le soccer allait m'amener.*

J. L. : *J'ai toujours imaginé et voulu être un joueur professionnel. Dans mon adolescence, j'ai été choisi dans des équipes régionales, puis aux niveaux provincial et national. J'ai réalisé que j'avais du potentiel. J'ai eu la chance de jouer pendant 15 années comme joueur professionnel dans une équipe nationale.*

R. W. : *Je n'ai jamais pensé devenir une joueuse de soccer professionnelle. Pendant toutes mes années de jeunesse, les femmes ne jouaient pas au soccer; mes idoles sportives étaient des hommes qui jouaient dans la ligue anglaise. Aujourd'hui, tout a bien changé et les jeunes filles peuvent apprécier le talent de Canadiennes telles Christine Sinclair, Kara Lang ou Amy Walsh, et savoir qu'il y a un avenir pour les athlètes féminines qui possèdent un talent naturel et, le plus important, un niveau de travail et de conviction qui va au-delà de leur sport.*

S. G. : *Oh oui! Toute ma vie, depuis que je suis enfant, j'ai rêvé que je jouais au soccer. Je crois que mon ignorance de la difficulté à y parvenir m'a obligé à travailler fort chaque jour pour apprécier ce sport aujourd'hui. Ce ne fut qu'une question de temps avant que je puisse me considérer comme professionnel.*

Stéphanie : Quels sont vos objectifs actuels dans le soccer ?

G. G. : *Maintenant que j'ai pris ma retraite, mon but est de continuer d'être un ambassadeur pour le soccer au Québec et au Canada. Je fais partie des bâtisseurs de l'Impact de Montréal et je veux tout faire pour aider le soccer à atteindre de nouveaux niveaux de popularité chez les enfants et les adolescents. De plus, au niveau professionnel, je souhaite également aider l'Impact à croître en popularité puisque le succès du soccer au Québec passe par son équipe professionnelle.*

M.-È. N. : *Mon objectif est de faire partie de l'équipe nationale qui participera à la Coupe du Monde et aux Jeux olympiques en 2012. Je jouerai pour l'équipe de Chicago cet été et j'aimerais bien gagner la finale de la W-League. Plusieurs fois, je me suis rendue jusque-là, mais jamais je ne l'ai gagnée. Aussi, j'aimerais bien évoluer dans la nouvelle ligue professionnelle, aux États-Unis.*

R. W. : *Je suis très heureuse de faire partie de l'équipe nationale féminine du Canada. J'apprécie chaque instant qui passe avec mes coéquipières, tout en jouant pour mon pays chaque fois que j'en ai la possibilité. Je connais le potentiel de cette équipe et avec notre nouvelle entraîneuse, Carolina Morace, un enthousiasme s'établit aussi loin que nous pouvons espérer. Mon objectif, d'abord, est de rester sur l'équipe et de performer autant que possible, car beaucoup de nouvelles joueuses de talent se développent. Puis, c'est de monter sur le podium avec l'équipe dans un avenir rapproché.*

S. G.: *C'est de continuer à travailler fort et de jouer aux niveaux les plus performants. C'est aussi de transmettre, un jour, à tous les joueurs passionnés, mon expérience et ma connaissance du jeu.*

Stéphanie: Si vous n'aviez pas été un professionnel du soccer, quel métier auriez-vous aimé faire?

G. G.: *En fait, grâce au soccer, j'ai obtenu une bourse d'études pour aller à l'Université de Syracuse où j'ai complété un bac en génie mécanique et une maîtrise en gestion. Je travaille présentement comme consultant en Stratégie et Opérations, le domaine à l'extérieur du sport dans lequel je souhaitais travailler.*

R. W.: *Je ne suis pas certaine, mais je crois que j'aurais fait une institutrice. Récemment, je me suis découvert un intérêt pour la physiothérapie. Peut-être aussi que je serais devenue physiothérapeute.*

S. G.: *Je n'ai jamais pensé faire autre chose que jouer au soccer pour gagner ma vie Mais si j'avais eu à faire un métier différent, cela aurait quand même été dans le monde du sport, c'est certain. J'aime tellement de sports que je ne m'imagine pas travailler dans un autre domaine.*

Stéphanie: Est-ce que vous allez conseiller à vos enfants de jouer au soccer?

G.G.: *J'ai un fils de deux mois et je vais l'encourager à faire du sport, pas seulement le soccer. Je veux lui faire connaître plusieurs sports, dont le soccer, et je vais le laisser choisir le ou les sports qu'il préférera.*

M.-È.N.: *Oui, c'est sûr que je vais les inscrire, mais je ne les pousserai jamais s'ils n'en ont pas envie. Je vais leur dire de jouer pour s'amuser, de toujours offrir le meilleur d'eux-mêmes et aussi, de toujours persévérer, même dans les moments les plus difficiles, car on ne sait jamais quand une deuxième chance nous sera donnée. Je vais aussi prendre exemple sur mes parents qui m'ont supportée et qui me supportent encore aujourd'hui.*

J.L.: *J'ai toujours fortement suggéré à mes enfants de faire du sport, de l'exercice, mais pas nécessairement du soccer. Les sports nous aident à nous concentrer, à être en forme et à travailler avec les autres dans un esprit d'équipe.*

R.W.: *Une des raisons qui fait que j'aime tellement le soccer, c'est que l'on ne m'a jamais obligée à pratiquer ce sport. Si mes enfants développaient un goût certain pour le soccer, comme je le pense, j'aimerais les voir jouer, mais je serais contente aussi même s'ils se passionnaient pour autre chose que le soccer.*

S.G. : *Définitivement. J'inviterai mes enfants à pratiquer des sports. Je ne peux pas dire vraiment s'ils choisiront le soccer, mais peu importe le sport qu'ils adopteront, je vais les appuyer totalement. Le soccer est une priorité dans ma vie, mais pourrait ne pas l'être pour mes enfants. J'espère malgré tout que le sport aura autant de place dans leur vie qu'il en a eue dans la mienne.*

Stéphanie : Y a-t-il autre chose que vous aimeriez ajouter ? Un conseil ou une anecdote ?

S.G. : *En Italie, j'ai eu des coéquipiers de la région napolitaine, là où vous retrouvez les Italiens les plus drôles. Un jour, dans le vestiaire, l'un d'eux s'est mis à imiter chaque semaine une routine de danse différente de Michael Jackson. Il était aussi talentueux en danse qu'au soccer, finalement…*

R.W. : *Je pense qu'il n'y a rien de plus important que de travailler afin d'atteindre ses objectifs dans la vie. Le talent peut être très utile, mais c'est surtout votre volonté et votre dépassement personnel qui vous mèneront au sommet.*

NOTES

Ma saison, mes matchs et mes entraînements
(points à améliorer, performances)

_____

_____

_____

_____

_____

_____

_____

_____

_____

_____

_____

_____

_____

_____

_____

_____

_____

_____

_____

_____

_____

_____

Mon club, mon entraîneur et mes coéquipiers
(téléphones, courriels, adresses)

Réponses du quiz de la page 88

Q.	R.
1	208
2	Angleterre
3	17
4	Oui
5	Oui
6	Non
7	Moins de 10
8	1930
9	1986
10	Oui